T4-ATX-637

О творческом вечере писателя-сатирика М. Жванецкого в Центральном доме актера им. Яблочкиной

1 апреля 1982 года в Центральном доме актера им. Яблочкиной в г. Москве состоялся творческий вечер писателя-сатирика М. Жванецкого. Во многих миниатюрах, прочитанных автором, содержалась тенденциозная, порой злобная критика некоторых сторон нашей жизни.

С текстом выступления писателя М. Жванецкого на авторском вечере в Центральном доме актера им. Яблочкиной ознакомлен секретарь правления Союза писателей СССР т. Верченко Ю.Н.

По сообщению т. Верченко, М. Жванецкий был приглашен в секретариат Союза писателей СССР, где ему были высказаны принципиальные замечания по содержанию творческого вечера. Он предупрежден о недопустимости безответственных выступлений.

М. Жванецкий признал справедливыми замечания и заявил, что впредь подобного не повторится.

Докладывается в порядке информации.

Зав. Отделом культуры ЦК КПСС   В. Шауро

18 июня 1982 г.

Михаил Жванецкий

Разговор отца с сыном

МОСКВА
2017

УДК 821.161.1-7
ББК 84(2Рос=Рус)6-7
  Ж41

Жванецкий, Михаил Михайлович.

Ж41   Разговор отца с сыном. Имей совесть и делай, что хочешь! / Михаил Жванецкий. — Москва : Издательство «Э», 2017. — 192 с.

ISBN 978-5-699-92469-1 (Оф. 1)
ISBN 978-5-699-94825-3 (Оф. 2)

УДК 821.161.1-7
ББК 84(2Рос=Рус)6-7

Предисловие

Родители и дети.

Конечно, родители детей.

Сегодня есть куда сбежать.

Родители должны быть косыми —

Один глаз на жизнь,

Другой на ребёнка.

Ребёнок ещё не человек.

Как львёнок — не лев.

Львица учит.

И мама учит.

А моё воспитание:

Прилетел, накричал и уснул.

Папа у нас такой...

У мамы двое детей.

Мама — волевой, очень умный женщина с двумя детьми.

Старший воспитывает младшего с помощью мелких произведений и крупных воспоминаний.

Младший водит друзей послушать.

Друзья у него хорошие.

Они говорят, он тоже.

Что он слышит, собрано в этой книжке.

Что он видит, когда-нибудь расскажет сам.

Ваш и его автор

М.Ж.

Сын — сыну

■

Сын. Конечно, ты другой.

Тебе двадцать лет, и вы другие.

Ты ко мне снисходителен.

И правильно.

Я ещё только разбираюсь в том, в чём ты

разобрался.

Но с другой стороны:

Ты учишься в институте.

И посмотри.

И посмотри.

И оглядись.

Учат такие, как я.

Ты не можешь избавиться от меня, идя на учёбу.

Ты не избавишься от меня, пойдя на работу.

Тебя встречу я в виде преподавателя.

В виде репетитора.

В виде декана.

В виде врача, наконец.

Это всё буду я, надоевший, хлещущий словами, деньгами, запретами.

Чем я отличаюсь от них?

Только тем, что они чужие, но тоже знают тебя с детства.

Я, в виде школьного учителя, знаю тебя с семи лет.

Уже тогда я говорил тебе:

— Не ври. Я не забыл!

Учитель не может забыть.

Ибо он знает.

А ученика, который не знает, слышно и видно.

Ясно слышно и ясно видно.

И взрослого, который не знает, ясно видно и слышно.

Надоевший Я встретит тебя всюду.

Он уже знает гаджет.

Он опять будет тебя воспитывать, если почувствует твою слабость!

Но у твоих будущих отцов есть некоторое отличие от меня.

Они могут тебя уволить после ряда унижений.

Учись говорить другому отцу:

— Извините. Это не вы забыли. Это я забыл. Спасибо. Больше не буду забывать.

В его руках уже твоя взрослая одинокая, тем более не одинокая, жизнь,

которая, к большому сожалению, зависит от чужих отцов и матерей.

Им дороже свои дети.

А из чужих либо очень талантливые, либо очень вежливые.

А главное, исполнительные.

Самое страшное для чужого отца — неисполнение его распоряжений!

Там простой путь.

Через исполнения чужих распоряжений к изданию своих распоряжений.

От увольнения тебя до увольнения тобой.

Эту скользкую тропу надо пройти, проползти, проболеть и протащить через себя.

Из этого что следует?

Только одно.

Как я тебе ни надоел.

Я не оставлю тебя никогда.

Потому что в отличие от них

Я тебя люблю, целую.

И помню всего!

Как и ты меня!

Теперь послушай, что говорил

Мой отец мне!

Отец мой, врач мой

Миша! Есть люди несчастливые, но везучие.

Им часто везёт, но это ничего не решает.

У них не накапливается.

* * *

Шизофрения — самая человеческая болезнь, как венерические.

Остальные болезни есть и у лошадей.

Но ты же не скажешь, что у этой лошади мания величия.

Или у этого пса раздвоение личности.

Шахматы — человеческая игра.

Бегать наперегонки можно и с лошадью.

Разум или нравственность?

Вопрос.

Нравственность выше и важнее, хотя разум экономически выгоднее.

Как лечащий врач могу сказать: «Вы подумайте, и я подумаю».

Это я больным говорю.

Хуже всего человеку большого дарования.

От него требуют факты, доводы, а он весь на бессознательном.

Он ничего не может объяснить.

А его необъяснимость, кроме вражды, ничего не вызывает.

* * *

Если ты выпил — молчи.

Твое мнение будет от выпитого, не от увиденного.

Мы в восторге от «Битлз».

И вдруг — Высоцкий.

И вдруг — Ахматова.

Вдруг понимаем слова.

Если бы так же понимать Эдит Пиаф.

«Садитесь, милорд.

На стол кладите ноги.

Заботы — на меня».

Петь-то надо слова, сынок...

* * *

Идешь по улице — крики из окон: «Не стреляй!»

Выстрелы, визг тормозов, вой сирен, вопль раненого и крик дедушки: «Где мои очки? Я тоже хочу это видеть!»

* * *

Сынок! У тебя одна мысль в голове: «Селиванова Надя». Надя Селиванова, Надя Селиванова, Надя...

Как и о чём с тобой можно говорить?

Да, да, ты не можешь.

Ты женишься.

Жить не с красотой.

Жить не с фигурой.

Жить тебе придётся с характером.

Даже не с умом.

Хотя он очень годится для экономики.

Всё остальное время — с характером.

Что такое характер?

Это как человек откликается.

Как он реагирует на мир.

Давай подерёмся, или давай разберёмся, или давай пропустим.

Плохо, когда всё на лице человека видно.

18

Плохо, когда ничего на лице не видно.

Когда на её (его) лице всё видно, то и всё слышно.

Бесконечно выясняешь отношения.

Мелочи, мелочи, мелочи.

Открывая дверь в дом, ты уже объясняешь, почему поздно, почему рано, где ты был, сколько будешь, когда уйдёшь и почему ты такой грустный, весёлый, безразличный, грязный, чистый, помятый, поглаженный, пахучий, вонючий.

Это когда всё на её лице.

Когда на лице ничего —

полная неизвестность.

В её характере — сила!

У тебя узнают всё.

Тебе не сообщают ничего.

И дело не в подозрениях.

Твои вопросы просто отскакивают — «нормально, не нужно, понятно, со временем узнаешь».

Мы с тобой эмоциональные люди, для нас такой человек — закрытый гроб.

В доме слышен только твой голос.

Никакой беседы.

Тут разводиться надо задолго до свадьбы.

И взглядов нет, Миша, есть характеры.

Он стаю либо формирует, либо в неё вступает.

Ведёт он, или ведут его.

Один говорит — должны жить все.

Другой говорит — нет.

Вот эти пусть пока не живут.

Пока.

Потом решим.

Если они исправятся.

Как?

Какими они должны стать?

Он не знает.

Такими, как он.

Вероятно.

Или его жена.

Он других не знает.

Я помню царское время.

Такие же жандармы.

Такие же революционеры.

Вопрос: кто поднимет равнодушных?

Весь вопрос в характере.

В том, что человек не за свободу, а за справедливость.

Справедливость — это то слово.

Характер имеют все: люди, лошади, собаки.

Говорят, на Западе собаки не лают.

Дети не плачут.

Люди не скандалят.

Не кричат, чтобы привлечь внимание.

Не обращаются к посторонним.

У нас в семьях любят обращаться к окружающим.

Если бы ты нашёл добрый характер... Такие часто встречаются.

Его называют — хороший.

Характер плюс ум.

Сочетание нередкое, оно редкое с красотой.

Красота портит характер.

Красивый мужчина — страшное явление.

Красивая женщина не чувствует своей старости.

Не хочет сходить со сцены.

Хотя театр давно уехал.

Она не так зла, как капризна.

И в каждом движении совершает ошибку.

Мягкий характер с умом сочетается часто.

Умом можно задавить свою жадность, трусость, злость.

И быть как бы мягким.

Но не надолго.

* * *

Ужасно, когда от тебя уходят.

Но тут правило одно: твоя от тебя не уйдёт.

Если ушла, значит, не твоя.

Бороться за женщину не стоит.

Слезами не поможешь.

Слежка — себе дороже.

Почему же это самое страшное горе в жизни?

Потому что уходят из сердца.

И ты ничего сделать не можешь.

Время лечит.

Но когда вылечит — уйдёт и время.

Эти удары непоправимы.

А хороший характер — это желание помочь без желания разобраться.

Такие есть.

Ну, спи!

А доброта появляется с возрастом.

Нет. Бывает врождённая, бывает.

А вот почему с возрастом появляются доброта, сочувствие?

Ну, наверное, в вопросе есть ответ.

Вот смотри, все террористы молодые.

Почему не старики?

Казалось бы: всё к тому, чтобы взорваться, даже диагноз...

Казалось бы...

Бери диагноз и иди, но когда он с диагнозом соберётся, у него уже нет сил дверь открыть.

Взрываются молодые, вешаются молодые. Им одиночество — невыносимо.

Не выясняй отношения.

Ничего не даёт.

Если человек не понимает, как же он поймёт?

Человек всё время говорит о себе: «Я этого не люблю. Я этого не ем».

И это за общим столом.

А нет ли у вас для меня чего-то другого?

Намёков не понимает.

Упрёков не понимает.

Обид не понимает.

Как же он поймёт объяснения?

Собирай вещи и уходи.

Хотя он и этого не поймёт.

Будет звонить: «Объясни мне, что случи-
лось? Почему ты ушёл?»

Он не понимает.

Так же, как не поймёт, что ему говорят,
таких людей нельзя бросать: они умны.

Кто-то должен их сдерживать и содер-
жать.

Они себе кажутся пострадавшими за
правду.

«Вот объясните мне...»

И не понимают.

Не спи... Я говорю.

* * *

Чтоб жизнь была длиннее, надо раньше вставать и реже призывать время идти быстрей...

Скорей бы экзамен.

Скорей бы каникулы.

И наступает, как заказывали.

А потом — скорее бы он вырос.

Он и вырастает скорее, укорачивая свою и вашу жизнь.

А потом часы идут как минуты, а сутки — как часы, а месяцы — как сутки.

И замедлить уже нельзя.

Осторожней со временем.

Не командуй.

Дорогой... Мой... Я смотрю... На тебя... На вас... И вспоминаю... Свою... Ну, всё...

...И ещё, Миша... Не пей от переживаний... Пей от радости.

Полрюмочки коньяку, если это достойно этого.

* * *

Когда тебе будет очень плохо, пусть тебе покажется, что ты болен и ты ждёшь результата анализов.

И когда врач скажет, что всё в порядке, жизнь будет прекрасна.

Опять. Опять на какое-то время.

Человек может размышлять.

Может колебаться.

Может принять решение.

Но пока это у него внутри, оно силы не имеет.

Пока он не произнесёт это вслух.

Даже в полном одиночестве.

Он услышит свои слова — и подчинится.

* * *

Заказывай в ресторане то, что не приготовишь дома.

Слушай то, что не сумеешь рассказать.

Люби женщину.

Цени отличное от себя.

Используй другого как повод что-то сделать самому.

* * *

Сомневаясь, попадаешь на истину.
Не сомневаясь — на должность.

И ещё — как в условиях конкуренции всё становится одинаковым: телеканалы, автомобили, рестораны, плащи?

Удивительно!

Мы жили в советском одинаковом мире.

Шли мимо одинаковых домов, заглядывали в одинаковые окна и видели одинаковую обстановку и абсолютно одинаковую еду одинаковыми ложками...

И вот.

Мы перешли в иной мир.

И опять.

После криков, танцев и лотерей всё становится одинаковым, т. е. модным.

Что продаётся, то производится.

Что производится, к тому привыкают.

Формируя друг друга, спрос и предложение останавливаются на привычном, и производится, и производится, пока не заполняет мир.

А мы-то думали...

* * *

А когда жизнь изменится, ты вспомни одного мужчину.

Он держал в руках ребёнка.

К ребёнку была прицеплена авоська.

В авоське были газета, хлеб, бутылка молока и марганцовка.

Это был я, и это был ты.

Что такое СССР

1. Молчание — знак несогласия.
2. Кивание — знак возражения.
3. Согласие — это безразличие.

* * *

Все хотят, чтоб было лучше.

И когда строили хрущёвки-пятиэтажки.

И потом, когда хотели лучше и строили 12-этажки.

Хотели, чтоб было лучше, и сеяли пшеницу.

Хотели, чтоб было лучше, и покупали её.

От чего возникает хуже, когда все хотят лучше?

От того, что все не хотят ничего менять.

Менять что-то хочет один человек.

Он и изобретает, и сколачивает компанию, и становится лучше всё.

Если всё теребить.

И менять, менять, постепенно изменяя.

* * *

Есть, конечно, и бедные грузины.

И бедные евреи.

Быстро богатеют, у которых с совестью хорошо.

Его сила в совести других.

Тех, кто так, как он, ещё не может.

Люди не могут допустить обмана, если они люди.

Ну, как-то так и армию не построишь, и дом не выстроишь, и воду не проведёшь, и лекарство не подберёшь, и с врачом не поговоришь.

А главное — до́ма.

Как ты детям, так и дети тебе.

Как ты к своей матери, так дети к тебе.

Твоя копия не будет бледной.

Она будет ярче первого экземпляра.

И люди и Всевышний оберегают друг друга от потери совести.

Значит, в массе совесть есть.

Этим и пользуется та часть.

И очень успешно.

Конечно, не все этим богаты.

Кто-то искусством.

Кто-то медициной.

Кто-то меняет мир.

То есть им люди отдают за гениальность.

А дальше не мне судить.

Отец мой, врач мой

Ещё, Миша, когда у тебя будет сын, постарайся быть осторожным.

Боюсь, что ты не сможешь. Но они всегда другие, как я и ты, ты и он.

Ты не сумеешь им руководить.

Первый человек, который от тебя полностью зависит, а ты не сумеешь им руководить.

В этом, наверное, заложено разнообразие людей.

С этим невозможно жить, хочется наказать, заставить.

Заставить можно, но лучше, если он, как ты у меня, найдёт свою дорогу.

Но основные знания: грамматику, математику, поведение среди людей...

Он должен знать поведение среди людей.

Он обязан суметь сформулировать, чего он хочет от них и что он может дать им взамен. Просто чтоб потребовать или подчиниться.

Образование помогает терпеть унижение.

Образование помогает переносить пытки.

Образование вызывает уважение в тюрьме.

Образование — это жить дольше.

Я не знаю, Миша, как это получается, но образованный человек живёт намного дольше и лучше.

Я не сказал бы богаче. Кстати, богаче — без «т», а в слове лучше — после «у» идёт «ч». Лучше...

То есть с удовольствием.

Богатый созерцает, что получает.

А образованный сравнивает, что видит, с чем-то внутри себя и не нуждается в лишнем.

Ему легче проникнуть и понять другого.

Образованный понимает тёмного человека, а тёмный не понимает образованного, сынок.

Тёмный ни разу в жизни не скажет слово «опровержение», или «трепетный», или «волнующий». Он даже не скажет простую фразу: «Я с трудом пережил ваш отъезд, девушка».

Он восторг и ненависть выражает одними и теми же словами.

Он, Миша, женщине не оставит воспоминаний.

Запоминаются не поцелуи, сынок, запоминаются слова.

У тёмного человека неинтересное молчание.

Мы с тобой, помнишь, говорили, что образование — это не память.

Хотя и память. Это не цитирование прочитанного.

Это формулирование своего на базе прочитанного.

Даже неточное цитирование — уже кое-что своё под другой фамилией.

В суматохе, Миша, нельзя терять мысль.

Мыслей не так много.

Шуток — миллионы.

Мыслей — сотни.

Идей — десятки.

Законов, по которым живут люди, — единицы.

Их знают все.

Все знают одну идею тёмного человека.

От него ждут хотя бы самообразования.

Хотя бы впечатления от прочитанного.

Только не от кино — кино не рождает в зрителе идею или мысль.

Только книга.

Она научит здоровью, силе воли.

Когда полистаешь кого-нибудь и прочитаешь у кого-нибудь.

Пусть твой сын будет образованным. И диплом тут ни при чём.

Он должен знать, что в предложении «ни при чём» все слова пишутся отдельно.

Всё! Мама нам оставила обед на кухне.

Подогрей себе.

Я вернусь поздно.

Много вызовов и мало лифтов.

Пожми мне руку... Я пошёл.

Кстати, образованный счастлив в старости...

Сын — сыну

Что такое ум?

Это, кстати, вовсе не правота.

Правота у биологов и генетиков.

Ум — это не эрудиция, не умение влезть в любую беседу — наоборот, или, как сказал один премьер, — отнюдь!

Ум — не означает умение поддерживать разговор с учёными.

Если ты умный, ты поймёшь, что ты ничего не понимаешь.

Ум часто говорит молча.

Ум чувствует недостатки или неприятные моменты для собеседника и обходит их.

Ум предвидит ответ и промолчит, если ему не хочется это услышать.

И вообще, ум что-то предложит.

Глупость не предлагает.

Глупость не спрашивает.

Глупость объясняет.

С умным лучше.

С ним ты свободен и ленив.

С дураком ты всё время занят.

Ты трудишься в поте лица.

Он тебе возражает и возражает... Мышление дурака непредсказуемо.

И от этих бессмысленных возражений ты теряешь силу, выдержку и сообразительность, которыми так гордился.

С дураком ты ни в чём не можешь согласиться.

И чувствуешь, какой у тебя плохой характер.

Поэтому отдохни с умным!

Отдохни с ним, милый!

Умоляю!

С умным не упираешься, а что-то продолжаешь... Куда-то что-то продолжаешь...

Ибо! Ах, ибо, Митя, сынок, люди умные
думают одинаково.

Приблизительно одинаково!

Будешь возвращаться, не хлопай дверью!

* * *

Новое время открыло новый характер — интереснейшее сочетание наглости с нерешительностью.

Впрочем, наглость с нерешительностью в одном характере попадаются часто.

Это вся шестёрка, вся прислуга, обслуга, охрана, а также весь разговор вниз.

Наглость, нерешительность и враньё.

Бывает нерешительность от ума, когда в голове несколько равнозначных вариантов.

Но всё-таки при уме меньше вранья и нет наглости.

Потому что наглость — это враньё и твёрдость заявлений при отсутствии доказательств.

Эта твёрдость вызывает позывы организма к голосованию за этого человека.

Когда врёт непривыкший врать — это видно.

Чуткие чувствуют враньё.

Но убедить в этом окружающих не могут из-за неуверенности.

Интуиция!

Интуиция — автор серьёзных открытий.

Убедительности не имеет.

Отсюда слова «мне кажется», «я думаю», «у меня ощущение».

Произнесённые вслух сомнения не вызывают желания толпы двигаться за колеблющимся человеком.

Но женщины улавливают его будущее и не шибаются, став надолго подругой гения.

Другая женщина, уловившая будущее страны, становится подругой императора.

Кто из них проиграл, публика узнает после их смерти.

* * *

Если спросят: «Что он пишет?» — скажи:
«Тексты к размышлениям».

* * *

Вначале мы просто нуждаемся.

Потом мы нуждаемся в здоровье.

Потом в любви.

Потом в заботе.

Потом опять просто нуждаемся.

* * *

И ещё, знаешь?

Нам казалось, что, идя в разные вузы, мы пошли разными путями.

Оказывается, нет.

Профессии не разъединяют людей.

Разъединяет их способ жизни.

Не специальность разъединяет, а уровень разговора.

Разъединяют цели и средства их достижения.

Интуиция

Самое верное — первое впечатление.

Первая догадка.

Это интуиция.

Она вздрагивает, как зрачок от луча света.

Интуиция — это мысль, родившаяся в душе...

Её не обсудишь и не опровергнешь.

Настоящий врач, изобретатель, бизнесмен не выпускает кончик интуиции из души.

Как тот же Сыркин. Или Джобс, что перевернул мир.

Интуиция ставит тебя на место покупателя, зрителя, ребёнка или больного.

Силы воли на упорство может не хватить, интуиция кажется ошибкой.

Пусть ошибка...

Хотя ошибка в интуиции?.. Вряд ли...

Просто ты её не чувствуешь!

Если ты без интуиции, живи дальше.

Ты своё найдёшь.

Но этот миг!

Этот... «Вдруг...» Этот крик... «Есть! Оно!!!»

Он будет главным либо для всех, либо для тебя.

Отвернись и запиши.

Не пожалеешь.

* * *

Красивые женщины свою науку постига-
ют рано.

И её достаточно до конца их жизни.

Как мы начинали?

Ты движешься по городу.

Что такое по городу?

Это по Одессе.

Ты движешься по Дерибасовской.

То есть идёшь по городу.

Чего там было много?

Еды? — Не было.

Одежды? — Не было.

Людей было много. Да.

Но мы не о людях.

Ты идёшь по городу.

Столько, сколько их было в Одессе, я не встречал нигде.

Нет, не мужчин.

Мужчины красивыми не бывают.

Не ради них ты вышел.

Ради чего ты выходишь?

Ради чего ты идёшь?

Ради чего ты живёшь?..

Ради чего ты начинаешь?

Тогда говорили:

— Что ты начинаешь?! Что ты начинаешь?!

Я бы спросил просто:

— Ради кого ты начинаешь?

Всё, что угодно.

Петь, плясать, писать, играть...

Такой мальчик пробует всё.

На чём она остановится, тем он и будет.

Таких красавиц, как в Одессе, я даже позже не встречал.

Были разные.

Но не такие.

Дело в личности.

Дело в дерзости.

Дело в независимости.

Дело в потоке солнца.

Дело в мгновенном коротком взгляде.

Выбирать профессию власть не позволяла.

Куда поступишь — тем не будешь.

Твою профессию выбирала она.

Чтоб она не грустила, ты старался её рассмешить.

А чтоб обратить её внимание, начинал искать детали.

Ты хотел быть интересным и начинал мыслить.

Первые твои шаги делала она.

А ты вдруг обнаруживал, что кто-то ещё кроме неё это хочет слушать.

И ты начинал продолжать.

И по Одессе понеслось...

Есть такой мальчик Миша, он может почитать.

Может, не может, но повод ты не забудешь никогда.

Как ты шёл следом, ожидая одного поворота головы, одного взгляда:

— Что вам надо, молодой человек?

А ты по-настоящему не знал...

А вариантов только два: либо ты, либо не ты.

Ты шёл сзади.

Ты шёл навстречу.

Ты попадался непрерывно.

Ты проходил, а взгляд твой оставался.

И ты начинал представлять себе.

Вот так вот мы любили.

Вот так вот мы плясали.

А вот так мы говорили, чтоб коснуться.

А когда касались, переставали говорить.

А зачем касались...

Ты этого ещё не знал.

И выбирала она не тебя.

Она тебе выбирала профессию на всю жизнь.

Личность
(мой друг Толя)

Что такое личность.

Это сформулированный жизнью персонаж.

Не вымышленный.

Не похожий.

Встречается не только среди людей.

Упрям.

Неменяем.

Без денег, так как не приспосабливается ни к чему.

Правдив.

Этим себя обозначает.

Замкнут.

Устал спорить.

Не слышит собеседника, сохраняя себя.

Физическое свойство характера.

Всё внутри.

Лёгок на подъём.

Любит движение, чтоб меньше говорить.

Переживает насмешки.

Приходит, уходит.

Идёт пешком до вокзала.

Встречает поезд ночью.

Говорит мало.

Конечно, не следит за собой...

Конечно, плохо одет и не замечает голода.

Политикой интересуется и удивляется постоянно.

Не понимает лжи.

Цифры тщательно сверяет.

И смешно поражается: «Как они могут?»

Наивен.

Не понимает.

И не поймёт уже.

* * *

А этому казалось, что избить человека, который умней его, — доказать, что тот слабее.

* * *

Общество придаёт значение видимости.

У человека: автомобильные права, паспорт, диплом, удостоверение, членский билет, таможенная декларация, свидетельство браке и куча всего.

А нужна только справка о состоянии здоровья. И то устная.

Всё остальное не соответствует действительности.

Я ненавижу час!

Не воспринимаю полчаса...

Это издевательство.

Их не надо мне предлагать.

Неплохо — три часа.

Четыре — ни к чему.

Бесцветно.

Я ценю два.

И люблю два с половиной.

Это время для всего.

Для отдыха и для работы.

Из минут я люблю семь.

Дальше — бессмысленные пятнадцать,

двадцать минут.

И те самые издевательские полчаса.

Можно так пытаться утешить бездарно-
о, чтоб слово «успех» приспособить к этим
рафоманам.

И появляются определения.

Полный успех.

Подлинный успех.

Настоящий успех.

Проверенный успех.

Успех у интеллигенции.

Успех у критиков.

И дешёвый успех.

Это у всех.

Мы ненавидим миллионеров. Но!

Кто играет для нас в футбол?

Кто играет для нас в хоккей?

Кто нам на радость бьёт друг другу лиц» и печень?

Кто нам пишет детективы?

Кто в кино для нас играет нищих и го лодных?

Они — миллионеры.

Кто играет нам на рояле?

Кто поёт в «Роллинг стоунзах»?

Кто даёт деньги на революцию — для по беды пролетариата?

Кто выдвигает себя в президенты после успешного первого срока?

Кто учреждает для нас Нобелевские премии?

Кто изобретает нам лекарства и создаёт новое оружие?

Чьи автоматы в руках всего мира?

Кто изобрёл радио, электролампу, создал атомную бомбу, атомную подводную лодку?

Кто создал богатства страны?

Тот, кто пришёл к богатству сам!

Успешный человек бедным не бывает.

Талантливые мышцы и талантливые мозги становятся богатыми автоматически.

Если не прилагают усилий, чтоб остаться бедными по каким-то своим соображениям.

Задача одна — не меняться от лишних денег.

Вытащил себя — тащи другого.

Между вопросом «как жить?» и ответом «так жить» — большое расстояние.

Ответить кто-то может.

Но продемонстрировать — нет.

* * *

Я, конечно, виноват.

Я сам не пойму себя.

Когда я слышу вокруг пафос, я говорю иронично.

Слышу вокруг иронию — говорю высокопарно.

Когда вокруг грустно — говорю смешно.

Слышу: «Бог! Бог!»

Говорю: «Бога нет».

Слышу: «Бога нет».

Говорю: «Есть».

Бьёт сильный — болею за слабого.

Когда мне кричат: «Давай! Давай!» —
шепчу: «Сам давай...»
А что делать?
Тупо присоединяться?!

* * *

Наш народ такой.

Ну, если у людей ничего нет.

Что они могут для тебя сделать?

Как отблагодарить за талант, за всё?

Ну, выпей.

Ну, съешь.

Я стал полнеть.

И вот я пишу, почему я стал полнеть.

Не в силах отказать, когда приглашают, любя.

Кто-то станет алкоголиком, кто-то — толстяком.

Сидим над столом, над жареным, варёным, пареным, маринованным. Ждём тоста.

Монотонно, как муэдзин, кричит тамада.

Криком шутит именинник.

Матом шутит эмигрант.

Перебивая всех, вспоминает лекарства гипертоник.

С криком «дайте же, наконец, сказать!» замолкает навсегда гость из Саратова.

С трудом устанавливает тишину и не может ничего сообщить чей-то отец.

«А теперь за женщин стоя», — одиноко торчит приятель жены.

По второму кругу всех целует рот в рот милый скульптор с мозолистыми руками и мягким ртом.

Не ответить на поцелуй — обидеть мужчину.

Завидую женщинам — им целуют руки.

А тут — рот в рот и никуда больше.

Спасаешься чесноком, керосином, луком, кашлем.

Нет, не помогает: отрыжка — в отрыжку, рот — в рот, зуб — в зуб.

Не найдёшь отверстие — расцарапают лицо бородой.

От усилий вызвать улыбку болит лицо.

А иначе: «Почему вы такой грустный?»

— Да не грустный, весёлый я.

На вопрос: «Почему весёлый?» — уже не отвечает.

Чтоб оправдать молчание, сидит с набитым ртом, чтоб не обидеть шутящего отсутствием хохота, жуёт.

От проглоченного невысказанного растут щёки и живот.

Одышка.

«А ты-то что хохочешь?» — щипок жене между ягодицей и ногой.

Плач.

Скандал.

Полегчало.

Наш проектировщик должен проявить не изобретательность, а гениальность.

Он должен проектировать в расчёте, что не будет работать эскалатор, кондиционер, что будут уносить светильники, обрывать телефоны, вырывать унитазы.

Что за счёт стройки в другом конце страны появятся коттеджи прорабов, что всё, что не работает на стройке, прекрасно действует в домах.

Вот если он всё это учтёт, его ждёт успех и множество заказов.

* * *

Я согласен, чтоб стихи писали одни, а командовали другие.

Но нам надо выработать в себе такую суть, чтоб диктатура была невозможна.

Чтоб в этом заверяли не нас сверху, а мы снизу.

Мы должны быть такими, чтоб нас не сажали и не убивали.

Сажают и убивают, когда все пасутся на лужайке, не замечая, как рядом жрут их товарища.

Попробуем представить диктатуру в Швеции, или Голландии, или Англии.

А теперь у нас?..

Сегодня самым смелым, самым отчаянным, самым продвинутым сказали:

— Не будет у нас диктатуры, это невозможно.

— Спасибо, — сказали они.

— Спасибо вам, — сказали им.

— Нет, это вам спасибо, — сказали они.

— Нет, вам, — сказали им.

— Нет, что вы, что вы, это вам такое огромное...

— Нет, вам спасибо.

Так кто кому говорил — в этот раз?

А в общем, я буду жить так, как живёт народ в России.

Я уже жил так и буду снова, если это случится.

На машинах я уже поездил.

В пробках стоять всё равно на чём — хоть на «Порше», хоть на «Жигулях».

Устрицы мне не нравятся.

Раков я наловлю сам, как и всё остальное, что я ловил в своей жизни, хотелось мне это или нет.

* * *

Наша задача жить не лучше, а дольше.

* * *

Какое счастье, что я не должен дорожить
своим местом.
Я могу дорожить своей работой.
И место моё со мной.

О нас

Наши люди стремятся в Стокгольм (Лондон и так далее) только для того, чтоб быть окружёнными шведами.

Всё остальное уже есть в Москве. Или почти есть.

Не для того выезжают, меняют жизнь, профессию, чтоб съесть что-нибудь, и не для того, чтоб жить под руководством шведского премьера...

Так что же нам делать?

Я бы сказал: меняться в шведскую сторону. Об этом не хочется говорить, потому что легко говорить.

Но хотя бы осознать.

Там мы как белые вороны, как чёрные зайцы, как жёлтые лошади.

Мы не похожи на всех.

Нас видно.

Мы агрессивны.

Мы раздражительны.

Мы куда-то спешим и не даём никому времени на размышления.

Мы грубо нетерпеливы.

Все молча ждут, пока передний разместится. Мы пролезаем под локоть, за спину, мы в нетерпении подталкиваем впереди стоящего: он якобы медленно переступает.

Мы спешим в самолете, в поезде, в автобусе, хотя мы уже там.

Мы выходим компанией на стоянку такси и в нетерпении толкаем посторонних. Мы спешим.

Зачем? Ну, побыстрее приехать. Побыстрее собрать на стол.

Сесть всем вместе...

Но мы и так уже все вместе?!

Мы не можем расслабиться.

Мы не можем поверить в окружающее. Мы должны оттолкнуть такого же и пройти насквозь, полыхая синим огнём мигалки.

Мы все кагэбисты, мы все на задании.

Нас видно.

Нас слышно.

Мы все ещё пахнем пóтом, хотя уже ничего не производим.

Нас легко узнать: мы меняемся от алкоголя в худшую сторону.

Хвастливы, агрессивны и неприлично крикливы.

Наверное, мы не виноваты в этом.

Но кто же?

Ну, скажем, евреи.

Так наши евреи именно так и выглядят...

А английские евреи англичане и есть.

Кажется, что мы под одеждой плохо вымыты, что принимать каждый день душ мы не можем.

Нас раздражает чужая чистота.

Мы можем харкнуть на чистый тротуар.

Почему? Объяснить не можем.

Духовность и любовь к Родине сюда не подходят.

И не о подражании, и не об унижении перед ними идёт речь... А просто... А просто всюду плавают утки, бегают зайцы, именно зайцы, несъеденные.

Рыбу никто свирепо не вынимает из её воды.

И везде мало людей.

Странный мир.

Свободно в автобусе.

Свободно в магазине.

Свободно в туалете.

Свободно в спортзале.

Свободно в бассейне.

Свободно в больнице.

Если туда не ворвётся наш в нетерпении лечь, в нетерпении встать.

Мы страшно раздражаемся, когда чего-то там нет, как будто на родине мы это всё имеем.

Не могу понять, почему мы чего-то хотим от всех и ничего не хотим от себя?

Мы, конечно, не изменимся, но хотя бы осознаем...

От нас ничего не хотят и живут не намного богаче.

Это не они хотят жить среди нас.

Это мы хотим жить среди них.

Почему?

Неужели мы чувствуем, что они лучше?

Так я скажу: среди нас есть такие, как в Стокгольме.

Они живут в монастырях. Наши монахи — шведы и есть.

По своей мягкости, тихости и незлобливости.

Вот я, если бы не был евреем и юмористом, жил бы в монастыре.

Это место, где меня всё устраивает.

Повесить крест на грудь, как наши попзвезды, не могу. Её сразу хочется прижать в углу, узнать национальность и долго выпытывать, как это произошло.

Что ж ты повесила крест и не меняешься?

Оденься хоть поприличнее.

«В советское время было веселей», — заявил парнишка в «Старой квартире».

Коммунальная квартира невольно этому способствует.

Как было весело, я хорошо знаю.

Я и был тем юмористом.

Советское время и шведам нравилось.

Сидели мы за забором, веселились на кухне, пели в лесах, читали в метро.

На Солженицыне была обложка «Сеченов».

Конечно, было веселей, дружней, сплочённее.

А во что мы превратились, мы узнали от других, когда открыли ворота.

Мы же спрашиваем у врача:

— Доктор, как я? Что со мной?

Диагноз ставят со стороны.

Никакой президент нас не изменит.

Он сам из нас.

Он сам неизвестно как прорвался.

У нас путь наверх не может быть честным — категорически.

Почему ты в молодые годы пошёл в райком партии или в КГБ?

Ну чем ты объяснишь?

Мы же все отказывались?!!

Мы врали, извивались, уползали, прятались в дыры, но не вербовались же ж! Же ж!!!

Можно продать свой голос, талант, мастерство.

А если этого нет, вы продаёте душу и удивляетесь, почему вас избирают, веря на слово.

Наш диагноз — мы пока нецивилизованны.

У нас очень низкий процент попадания в унитаз, в плевательницу, в урну.

Язык, которым мы говорим, груб.

Мы переводим с мата.

Мы хорошо понимаем и любим силу, от этого покоряемся диктатуре и криминалу. И в тюрьме, и в жизни.

Вот, что мне кажется:

1. Нам надо перестать ненавидеть кого бы то ни было.

2. Перестать раздражаться.

3. Перестать спешить.

4. Перестать бояться.

5. Перестать прислушиваться, а просто слушать.

6. Перестать просить.

7. Перестать унижаться.

8. Улыбаться. Через силу. Фальшиво. Но обязательно улыбаться.

Дальше:

С будущим президентом — контракт!

Он нам обеспечивает безопасность, свободу слова, правосудие, свободу каждому человеку и покой, то есть долговременность правил.

А кормёжка, заработок, место жительства, образование, развлечение и работа — наше дело. И всё.

Мы больше о нём не думаем.

У нас слишком много дел.

Воспитание

Вкус с детства.

Музыка с детства.

Язык с детства.

Литература с детства.

Потом времени не будет.

В нас воспитали с детства нежность, правдивость.

И мы, выйдя из школы, получили жизнь в лицо.

Но не изменились.

Потому что воспитание.

Мы знали, что ничего нет ужасней, чем ответить на подлость подлостью.

Мы знали, что если на крик отвечаешь криком, доказать ничего не можешь.

Мы чувствовали стеснение (какое хорошее слово), когда видели обнажённого человека.

Даже женщину.

Даже красивую.

Мы чувствовали стеснение, когда видели ругательство на заборе. Хотя мы уже понимали, что забор существует для написания таких слов.

А где же ещё их писать, не в книгах же.

Мы боролись с заборами и из-за этого тоже.

И из-за воспитания мы стеснялись предавать и доносить.

Кто-то всё равно доносил.

Но мы не доносили.

Кто-то шёл работать в КГБ.

Кто-то был надзирателем.

Кто-то был парторгом.

А кто-то учился в высшей партшколе.

Мы трусили отчаянно, но не шли туда.

И не подписывали писем ни с осуждением, ни с одобрением.

Может быть, если бы били...

Но пока не били, мы не подписывали.

И никакой тут смелости не было.

Тут было воспитание.

И вообще мне кажется, что мужество — это не та смелость, которая есть и у бандита, — это что-то связанное с другими людьми.

Я люблю краснеющих в дебатах.

Попал впросак и покраснел.

Не ополчился на всех.

Не закричал: «А вот это!» — переводя разговор на другое.

А покраснел за то, за своё сказанное.

Довёл до конца тему, а не вывел всех из себя.

Испытал стыд.

И понял.

Отсутствие воспитания помогает говорить.

Наличие — слушать.

А значит, освобождает массу времени от пустой болтовни и пустых просмотров.

А их отсутствие создаёт вкус, делает человека умней, молчаливей и приятней.

Чем больше вы находите лишнего, тем лучше.

Отсутствие чего-то — и есть свобода.

А что необходимо — то для каждого своё.

Отец мой

Что можно делать восемь часов подряд?
Только спать и работать.
Кушать, пить, любить, танцевать и развлекаться или обедать — невозможно!

* * *

И ещё, сынок.

Никогда не знакомься с сидящей женщиной.

Зачем тебе эти неожиданности?

* * *

Человек не увязывает проступок с наказанием.

Ребёнка надо десять раз предупредить, за что он будет наказан.

Собаку надо тут же ткнуть носом в то, что появилось на ковре...

Мой отец, врач, так сказал:

— А вот курить ты не будешь.

И ремнём очень больно и ясно...

И я не курю.

Теперь тебе:

— А вот врать ты не будешь. Ты всегда будешь пойман, пока у меня хватит сил.

98

Если не хватит, ты тоже будешь пойман. Ты обязательно будешь пойман.

Ни отец, ни начальник, ни женщина, ни один человек рядом с тобой тебе не простит.

Надежды на будущее прощение не будет.

Только прохожий, не знающий тебя, тебе поверит.

Никто с тобой спорить не будет.

Никто тебя спрашивать не будет.

Никто тебе в долг не даст.

Никто на свидание к тебе не придёт.

А наказывать тебя будут все.

Ну, ври дальше.

В ответ только одиночество и поиски места.

Это и среди людей называется санкциями...

За ложь люди расплачиваются всю жизнь.

Кстати, вымысел писателя бывает правдивее правоты...

Правота — это правота.

Ты прав, и всё.

В вымысле есть смысл...

А смысл надолго.

Им можно руководствоваться.

Его-то и запоминают.

Он больше правды.

В семье я бы вывесил: «Не допускай неправды. Не уличай во лжи».

Отец — сыну

Тысячи людей можно научить решать задачи по одному типу.

Делать конструкции по одному типу.

Делать анализы по одному типу.

Производить типовые расчёты.

Это типовое мышление.

Это не для нас, сынок.

* * *

Ясность! Решительность! Твёрдость!

Возможны вне ума.

Ум неясен.

Он беспорядочен и туманен.

Целеустремлённые постепенно сходят с ума.

Они сами создают своё безумие.

Деятельность и действие.

Бродяжничество и простота у нас требуют глубокого опыта.

Кто-то ничего не отрицает, никого не порицает.

Он просто занят.

* * *

Интеллигентность в том, чтоб за столом не говорить о соседе «он», если не знаешь его имени.

Чтобы, предлагая сесть, повернуть женщину в ресторане лицом к публике.

Чтоб не соврать, а промолчать.

Чтоб на просьбу знакомого сказать правду о его жене, похвалить что-нибудь другое.

Всё, что осталось от дружбы и любви, — это общение.

Интеллигент старается занимать как можно меньше места, сынок.

* * *

Золотое правило: не торопись на вызов начальства.

Ибо прибежишь в плохом виде: выпивши, грязный, расстёгнутый, с плохим запахом от всего.

А придёшь через два часа чистый, умытый, ароматный.

И скажешь: «Не слыхал».

Что можно сделать?

Пожурить за опоздание.

Короче, стучат в дверь — брейся спокойно.

Бьют в дверь кулаком — ополосни лицо.

Бьются всем телом: «Открыть немедленно!» — прими душ.

Бьются в окна, звонят, орут «мы знаем, где вы» — опрыснись, причешись, одёрнись, выйди.

— Мы били в дверь! Вас срочно!

— Не слыхал.

* * *

Под многими и разными названиями я жил.

Часть жизни — идущий на медаль.

Потом — комсорг весёлый.

Потом — сменный механик-юморист.

Потом — красивые волосы.

Потом — артист на производстве.

Потом — бабник.

Потом — Мишка-хохмач.

Потом — ты смотри, сколько он имеет. Это что, ему Райкин плóтит?.. А кто — государство? Ты смотри... За эти хохмы... Да я б гроша ломаного... Ну, им виднее. Может, он ещё стучит на кого? Каждый, чем может.

Потом я долго был «не писатель».

Потом — одесская скороговорочка.

Потом — провинциальный хохмач.

И что он имеет против нашего народа?

Потом я был русофобом, потом — антисемитом.

Потом — самый народный.

Потом — феномен, но не писатель.

Потом — наш популярный сатирик.

Потом — наш известный сатирик.

Потом — какой он сатирик — дешёвый хохмач!

Потом — некий символ.

Потом — доперестроечный гений.

Потом — сальные шутки сальным ртом.

Потом — перманентно пьяный выползает с бокалом и лезет в объектив.

Потом — гениальный затачиватель каменных стрел.

Допотопный гений.

Потом — поразительно, как у него всё это не кончается?

— Что?

— Да всё это!

— Что?

— Да всё это!

Потом — его забудут ещё до того, как меня в школах начнут изучать.

— И как ему не стыдно, на него так смотрят?

— Как?

— С обожанием.

— А что он должен?

— Ну, как-то прекратить.

И пусть мой сосед им гордится, если ему больше нечем гордиться.

Потом это — читать глазами невозможно.

— А чем?

Потом — поверхностная дешёвка.

Потом — что он несёт, если его не понимают?

— Кто?

— Люди.

— А что там понимать?

— Да на хрен... Я лучше поржать пойду!

— А где ты будешь ржать?

— Да в Кремлёвском... Там этот... Против Америки...

Вот так и колебался от поверхностного хохмача до...

«Не пойду я на него. Там думать надо. Потеть».

Такие вот колокола.

— А я всё это сижу слушаю.

Конечно, пусть говорят.

Конечно, пусть спорят.

Но я-то это всё переживаю.

* * *

Слушай, сынок, между мной и зеркалом
никогда не становись.

* * *

Что происходит с человеком?

Человек знакомый может с человеком незнакомым:

а) лежать;

б) стоять;

в) сидеть;

г) говорить;

и д) молчать.

То есть незнакомые могут сидеть рядом, допустим, в театре, молча смотря на сцену.

Они могут лежать рядом, допустим, на пляже, молча.

И смотреть на небо.

Они могут стоять рядом, допустим, в очереди и смотреть в спину.

У меня вопрос: почему они, не к столу будь сказано, не могут идти рядом молча?

По улице.

Незнакомые!

Вы заметили, что творится с человеком идущим (это по-латыни), если с ним поравнялся такой же идущий другой? И не обгоняет, и не отстаёт. У первого начинают метаться глаза, он фиксирует карманы, бумажник, озирается, замедляется, убыстряется, накаляется. Во всём облике от ботинок до очков — кто вы такой? Что вам надо? Если попробуете продержаться рядом минуту — убьёт!

Ты чего? Ты кто? Чего тебе? Отойди!

Убьёт человека человек за простую тротуарную прогулку.

Повторяю:

а) сидеть рядом могут;

б) лежать рядом могут;

в) стоять рядом могут.

Что происходит?

Один человек боится движения другого человека. Хотя от неподвижного, не ко столу будь сказано, опасность та же.

Что происходит?

Думаю над этим.

Склероз

Склероз оказался причиной такого темперамента, причём на старости лет, что все диву даются.

И не сразу могут разгадать.

Ты смотри, как этот хрыч метнулся записать.

Ты смотри, как он рванулся к телефону, ты смотри, как бросился кастрюлю с плиты снимать, дверь закрывать, ключ выдёргивать.

Как молодой.

Вот это скорость. Кровь взыграла.

Не кровь это — склероз.

Не метнёшься — забудешь.

И в любви такая страсть.

Чтоб не забыть последние слова. Имя вспомнить.

Я тебе уже говорил, как я тебя... люблю?.. Говорил! Нет?

А я говорю, говорил... Нет?

Нет ещё... Так слушай.

И скорость резко возросла.

Если раньше у него память держала два-три дня.

Сейчас — полчаса, пятнадцать минут, одну минуту.

Записав последнюю, забываешь первую.

Что-то в руке... Чьё колено?

Пока разглядишь, восстановишь весь ряд — пропадёт имя.

С трудом и виртуозно наведёшь на имя — исчезнет срок знакомства.

Отсюда все эти — вчера, позавчера, уже три дня.

«Я помню, помню» — беспомощные крики и рукой, рукой остановить — «я сам».

И правило железное.

На неподвижное клади свои кошёлки, сумки, документы, ноги.

В подвижном — всё держи в руках.

Ты слышишь?

В машине, самолёте.

Всё на себе. Не выпускай.

Он улетит — ты не найдёшь. А недвижимость остаётся.

Сам не вспомнишь — тебя там вспомнят.

Что-то отдадут.

Зачем это?

Вот жадный я, люблю держать руками и пересчитывать.

Я отвратительный и мерзкий человек — дорогу мне, дорогу...

Расступитесь, пока он помнит адрес.

Он бежит... Всё медленнее, медленнее...

Стоп. Забыл... Куда теперь? Назад... Это куда? Здесь нужна собака.

Чтоб по следам его вернуть обратно к людям...

Очки ему дайте, письмо ему дайте, совет ему дайте.

А лучше дайте водки.

Смотрите, посветлел.

И вспомнил, и помчался.

А водки дали про запас?

Ну, если он на этой пробежит — то молоток!

Беги, старик, беги, сынок, от государства к государству, от власти к власти, от Сталина до Путина.

Как не брало при Сталине с трёхсот.

При Хрущёве брало меньше.

При Брежневе ты бескозырку отдирал с головки и синюю водяру из горла втроем в подъезде. Включая женщину — пила, как все.

При Ельцине «Рояль» — винтом ректификат.

Так и запомнил выпивку по-русски — по вождям.

При Сталине — 2.80.

При Хрущёве — 4.60.

При Брежневе — 3.62.

При Ельцине — 5000.

При Путине — водочка «Парламент», 200 рублей = 7 долларов.

Беги, старик, на водке «Шустов», теряя женщин и друзей.

А помню, ты хотел поговорить.

Я тот... Ну ты ещё... Собирался, и я напоминал... Ты же меня лечил. Ах да! Ты инженер... Ну если ты меня не вспомнишь, я постараюсь. Давай, где и когда... И точно там...

* * *

Среди людей нужно быть бесконечно осторожным.

Тигра можно испугать криками.

Комара отпугнуть запахом.

Человека, к сожалению, нужно опасаться и во время запаха и во время крика.

Ибо он к этому привык.

* * *

Когда я работал в порту, самое печальное
было сравнивать себя.

Ты бегаешь, а пароходы стоят.

А когда остановился ты — уходят они.

В Африку, в Индию, в Сингапур.

А ты стоишь в стране, где стоял.

Ты невыездной.

И только смотришь и не понимаешь или
понимаешь.

* * *

Я люблю тех, кому становится неловко.

Кто теряется и краснеет.

Кто лепечет от растерянности или молчит.

Не находит слов в ответ на очень чёткое, конкретное обвинение во лжи.

Живые тёплые люди.

Не лжецы, которые обладают хладнокровием, не бизнесмены, чередующие жестокость с неискренним весельем.

А как хороши женщины, потерявшие способность смущаться!

Так называемые девушки без комплексов.

Мы их видим на эмалированных экранах.

Звонкие, чёткие, как будильники.

Девушки без комплексов.

Мужчины без названия.

Люди расплодились.

Не население, а люди.

Без комплексов, то есть без прикрас.

Искренность всегда ценилась.

А сегодня взлетела, как недвижимость.

Как ценность вечная.

Как то, что ценят в других.

За что и платят.

Мы же сами не добываем денег.

Нам их платят.

Вот за это: за искренность, за правду, за какое-то уменье.

Хоть какая-то оценка.

* * *

Войди туда и устрой перекличку...

Ты сойдёшь с ума от криков:

— Здесь!

— Я!

— Тут!

— Есть!

— Я!

Поверь, что всё не так уж плохо.

Там они.

Все, кто мыслил.

Все, кто был героем их воспоминаний.

Их слишком много...

123

Нас гораздо меньше.

Ну, нет их.

Так мало ли кого нет.

А кто далече, чем отличается?

* * *

О любви.

Почему «уйди» мы кричим, а «приди» — шепчем?

Когда надо бы наоборот.

* * *

Почему мы обращаемся к Всевышнему только в горе?

А ведь иногда можно и поблагодарить.

Можно такие же эксперименты предпринять и пониже.

Люди, живущие чище нас, давно это делают.

Говорят «fine», говорят «good».

Раздражают нас улыбкой без причин.

Раздражают нас вопросами: «Как спали?», а мы или свирепеем, или отвечаем серьёзно.

Да, хорошее воспитание включает много фальши, но исключает напрасные тревоги

126

В то же время отсутствует брезгливость.

Пробирку с чужим анализом берут в руки.

Постель больному меняют все.

Аристократизм никак не мешает вынести чужой ночной горшок.

Мы стесняемся и улыбаться, и убирать.

Странно, но мы, выросшие в этом всём, — брезгливы.

Стесняемся человеческого организма.

А сколько пролито всего этого у нас?!.

Стесняемся улыбаться, объясняться и выносить помои.

В общем, не фальшивим.

За что нас и любят только те, которых мы содержим.

Остальным нет ни до нас, ни до кого дела.

То есть кратко:

Все живут в дерьме.

Но кто-то научился это перерабатывать.

А кто-то научился в этом плавать!

Отец мой

Тебе с ним повезло.

Он человек преданный.

Очень. И даже многим.

Даже, кажется, всем.

Кто позовёт, тому и предан.

И будет предан.

Пока рядом.

Это, конечно, вызывает восторг у того, кто не будет предан.

А ты, который не имеешь этой особенности, не знаешь, как себя вести.

Ты ему звонишь, а он в это время уже предан другому.

И ты испытываешь какое-то угрызение.

Что-то вроде ревности.

А кто в чём виноват?

Он же честен.

И он мужчина.

И ты не можешь объяснить, почему пре[

данность означает окончательный выбор.

Почему надо останавливаться на одном.

Почему нельзя быть верным другог[

и второму, и третьему, и восьмому.

— Верных друзей должно быть мно[

го, — говорит он. — Очень много.

— Вообще-то верно, — сипишь ты.

Ты долго смотришь на свою жену...

Действительно...

А почему?..

Она тоже... Не должна быть одна...

Широта чувств — это не глубина.

Она захватывает пространства.

Давайте, верные жёны, стройтесь в ко[

лонны.

Действительно, цивилизация делает следующий шаг...

Только что-то...

Что-то...

Что-то на сердце неспокойно.

Вроде так уже было.

И даже все так уже назывались — товарищи.

И было нас двести двадцать миллионов.

И мы куда-то шли, как бы любя друг друга, как бы поддерживая и выручая в беде.

И что-то нам это глубоко не понравилось.

И свелось это к собранию, где все обсуждали одного.

И судили, судили, сажали, судили — братьев, жён, друзей детства.

Друзья на друзей писали...

Видимо, преданный должен быть не вообще.

Всем — это никому.

И многим — это никому.

И некоторым — значит, никому.

Какие-то там есть пределы — количества и качества, этой преданности...

Или вообще тогда давай проще.

Дружим временно на цель.

Достигнем — поглядим.

Может, будем дружить на следующую.

Это не так красиво, но твёрдо знаешь, на что рассчитывать.

И даже есть краткое письменное соглашение.

Преданность — самая благодарная необходимость одного одному.

Одного одной.

Одной одному...

Честно говоря, другие цифры в эту формулу не помещаются.

Что я люблю

Правду говорить и выслушивать я перестал где-то в ноябре 67-го года, когда у Райкина вышел спектакль «Светофор».

С тех пор зарабатываю произнесением похожих слов.

Люблю юмор, который смешит меня, невзирая на зависть.

К себе отношусь хорошо в течение пяти минут после успеха.

Люблю жару с кондиционером, холодным пивом и стуком дизелей под палубой.

Люблю море гладкое.

Море бурное уважаю, называю на «Вы».

Шутить в его адрес не намерен.

Море слишком злопамятно, как и мой кот.

Я его люблю, он меня любит, но обязательно напишет в кофр разложенный.

Подозревает мой отъезд, сволочь.

Люблю времена года.

Они оказались не везде.

Живу там, где зима — предчувствие весны, лето — предчувствие осени, старость — предчувствие любви.

В женщине люблю предчувствие мышления.

В семье люблю две интуиции.

Двумя одобренную новизну.

Не люблю, когда мы оба настроены против меня.

Люблю скрытое движение: открытую бутылку водки, чистый лист бумаги, пригласительный билет и утро 15 августа любого года.

Люблю, когда проходит боль, но не люблю, когда проходит время.

Люблю друзей смеющихся, то есть одобрительный оскал друзей.

Всё на моих глазах: беззубы смолоду, вдруг к старости обзавелись широкой государственной улыбкой.

Но возраст выдаёт.

Короче, нечем откусить, но есть чем улыбнуться.

Мне их смешить всё легче. Там никаких претензий к тексту: спасибо, что пришёл, спасибо, что пришли.

Впервые вдруг внезапно где-то в полночь перестал любить начальство.

Они меняются. Не успеваешь перепривыкать.

Обманчивая защищённость, потом тревога.

Новый ни черта не понимает в тексте, цитирует певицу, как мыслителя.

Перестаю любить.

Видимо, в ответ на что они тоже перестали.

Но искоса мы друг за другом наблюдаем, чтоб не нагадить.

Мы все из той породы.

Держим зад руками.

А вот и море на фоне зелени люблю.

Снег и море — конец пути.

Начало: — парта, девушка, морская форма.

За любовь плачу словами.

Дальше — хуже.

Любовь дороже, реже, одиночнее.

Море больше, шире.

Взгляд защищает зелень.

Планы проще.

«Тьфу-тьфу-тьфу», чтоб не сглазить.

Или «типун мне на язык», чтоб не вызвать.

Два вида планов.

Оба осуществлены.

Когда потянет перечислять слова без воздуха, закончится талант.

Люблю талант.

Талант бывает глуповат.

Если умён, то уникум.

А если мудр, то гений.

Он не зависит от того, поймут или не поймут.

Но всё-таки, по-моему, понимают.

Корни понимают, что крона расцветёт.

Люблю, кого я полюбил за ум, за доброту, за юмор.

Уже люблю, что полюблю ещё и опишу для ощущения всеми нами в том месте, где мы собрались, где зал, где стол, где зелень вышла к морю.

Письмо тем, кто понял

Ещё в 60-х я писал:

«Как быстро время летит. Бреешься, бреешься. Всё чаще и чаще — а это раз в день».

Но что сейчас творится!!! Время пошло вразнос.

На акселератор положили кирпич и пустили под уклон.

Ты еле успеваешь следить за первыми цифрами возраста.

Остальные — как на бензоколонке.

А выход: не спится — садись за стол.

Читать только то, что не отнимает время! Лучше спроси у тех, кто прочёл.

Смотреть то, что не отнимает время. Спроси у того, кто видел.

Резко возрастает роль умной жены!

Господи, как хочется иметь умную жену... У меня такая есть!

Поручи ей суматоху и ожидание.

Придётся самому — сочетай ожидание с выслушиванием того, кто видел то, что ты хочешь.

Кто читал то, что ты хочешь.

Кто ел то, что ты хочешь.

Кто любил того, кого ты хотел.

Всё им!

Тебе только — краткое содержание.

Ты можешь вертикально соединить прошлое и настоящее.

Ты можешь горизонтально соединить жизнь здесь и жизнь там.

Вот эту твою крестообразность даёт только опыт, ошибочно принимаемый за мудрость.

И, конечно, способность сформулировать, то есть припечатать лаконизмом из-за нехватки времени!

Из-за нехватки времени ты уже нечестен.

Ты не пользуешься изображением собеседника.

Только его звуком. Под этот звук у тебя всплывает что-то своё.

Ты лучше запомни свои ответы на свои вопросы.

Он скажет: «Вы меня совсем не слушаете». Но это уже его дело.

Вытекание времени делает тебя жестоким.

Умный простит, остальные не в счёт.

Одиночество — спасение от тупых.

Ты слишком много потерял, объясняя бездарному, в чём его вина.

Молчание тебе сообщит больше.

Острая нехватка времени делает тебя

невнимательным, но хорошо чувствующим приближение нехорошего разговора.

Останови его на полпути.

Ты уже это слышал и давно не знаешь, как это исправить:

— Всё! Вот это мысль. Вы правы.

И сам иди к чёртовой матери домой.

Ты всё это говоришь себе ночью.

Конечно, ты потерял связь с новой поверхностью старой жизни. Но то, что ты им скажешь, по крайней мере, не хуже.

Все эти экраны им надо чем-то заполнить. И ты им нужен ничуть не меньше.

Ты смотри, как ловко на чужих именинах ты рассказал о себе!

Просто ты уже через это прошёл.

И снова готов пройти, чтобы понять.

И теперь желаешь одного — собраться с такими же, кто готов понять и поговорить.

Спасибо, что смотрели, как я говорил.

Ваш, ваш и ваш,

и твой нынешний,

и твой бывший,

и твой давний,

и, боже мой, твой самый первый.

Целую...

* * *

Теория вероятности на женщин не действует.

И закон всемирного тяготения.

И гравитация на них не действует.

Поэтому они так нравятся населению.

* * *

Самое страшное не одиночество, а невозможность побыть одному.

Тосты жён

О, если бы наши жёны говорили то, что говорят друзья на юбилее!

Хотя бы сотую часть того, что говорят друзья.

Но жёны не способны физически и умственно речь держать в честь мужа.

Даже ничтожный тост.

Её спрашивают друзья:

— Ну ты что, несчастна с ним, что ли?

— Ну ты недоедаешь, что ли?

— Ну тебе что, нечего надеть, что ли?

— Ну тебе что, не надоело молчать?

— Почему ты молчишь?

145

Гости непрерывно кричат: «Любим, любим, уважаем, ценим, знаем, понимаем!»

Ты можешь пискнуть хоть два слова?

Мол, обожаю встречно, не представляю себя с другим. Или представляешь? А?

— Квартира есть? — мы спрашиваем тебя.

— Машина есть? — мы интересуемся у тебя. — Как поднялся в доме быт? Охарактеризуй уровень.

Почему посторонние люди должны по дереву стучать, а ты молчишь?

Кто умный, кто заботливый, кто терпеливый?

Ты с кем живёшь?

Может быть, ты не согласна с ним в чём?

Давай, выдай альтернативу — мол, не то...

Охарактеризуй, кто он на самом деле, — ну давай.

Что ты жуёшь под крики «великий», «добрый».

Как счастлива?

Давай подлиннее.

Охарактеризуй чувства свои.

Народ не дурак.

Народ хочет слышать, с кем живёт великий человек.

Но нет! Не могут жёны при людях!!! Всё наедине норовят!!!

Исподтишка ночами шпыняют.

Когда мы беззащитны.

А в глаза толпе правду — мол, «не могу жить без него», «невыносимо огромная личность», «умру без него или с ним»!

Где звук?

Это тебе не по телефону болтать — это при всех.

Тоста без всех — не бывает!

Отрицательных тостов нет.

Никто не скажет: «Пью за то, чтоб он подох».

Все тосты положительные — потому что мужчины им значения не придают.

Тост чем хорош?

Чтобы выпить быстрее.

И всегда есть концовка!

А женщина войти в эту воду боится...

Иначе каждый скажет: «Что ж ты днём одно, а ночью другое...»

Мужчина мужчину ночью не видит.

От этого неизвестно, что бы они друг другу ночью сказали.

Понял, в какое время суток смысл жизни проявляется?

Задача мужика — не искать правду в тостах.

Ищи там коньяк! Понял?

И общий звук приветствий не выключать, чтоб быть уверенным в себе!

Так как правду всё равно не узнаешь.

А уверенность в себе нужна, чтоб жизнь выдержать.

Твой тостующий друг.

Известный, как муж, которому повезло!

К рассвету

Наконец-то впереди ночь — шесть-семь часов свободы, одиночества, наслаждения книгой, мыслью, любовью.

Совершенно. Господи, 7—8 часов.

Как же их провести?

Читать... Но ведь можно и писать.

Но самое удивительное, что можно и не писать, и не читать.

Может быть, кино?

Можно.

А может быть, и не стоит.

Времени жалко.

Жалко этого сказочного одиночества на чужой фильм.

Вспоминать?

Лежать и вспоминать?

Кого?

Кого всегда вспоминаешь?

От первого до последнего поцелуя.

Можно вспоминать.

Но вспоминать — это возвращаться...

На это уже ушло время в своё время.

Зачем тратить новое.

О сегодняшнем дне думать?

Такое недостойное занятие.

Кто только о нём не думает.

Хотя для некоторых он очень хорош, чтобы подыграть массовым массам, которые не хотят жить прилично, а хотят престижно угрожать всему миру.

Что за смысл всё помнить одному, если другие забыли.

Они не верят, что не было хлеба, пива, мяса, масла.

Они уверены, что всё это было.

И водка была, думают они.

— Не было, — кричу я один.

Неубедительно и слабо.

— И свобода слова была, — говорят они.

— Не было, не было, не было, — кричу я, стуча кулаком об забор.

— И одежда была.

— Это была спецовка.

— Нет, одежда.

— Спецовка, спецовка, — стучу я и плачу. — Мы плохо жили, — кричу я и плачу.

— Мы жили хорошо, — кричат все и стучат кулаками по стенам, по заборам, по столам, по мне. — Это ты один, ты один жил плохо... А сейчас ты один живёшь хорошо.

Разве ты можешь убедить такую массу?!

— Значит, вам было хорошо? — сдаёшься ты, спрашивая. — Жили вы плохо, но вам было хорошо.

— Нет! И жили мы хорошо.

— Значит, и жили вы хорошо, — окончательно слабеешь ты. — И живите так опять. Кто вам всем может помешать опять жить так же?

Все едины — верх и низ.

Кто же их остановит?

И время уже 3 часа 25 минут.

Нельзя тратить ночь на бессмысленные споры.

Для этого есть день.

Ночь тиха и полна.

Она движется к рассвету.

День движется к закату, только ночь к рассвету.

И дело не в политике.

Занимайся политикой, если хочешь изменить.

Изменил жизнь — отойди, дай другим изменить жизнь.

А когда все вместе, когда сидишь со своими за столом, и ты знаешь, что все живут, как остальные, а с кем ты сидишь, хорошо, и вы за столом, и вы спаяны и скованы, вы что-то знаете, и горячий пар после бани, и горячий живот после водки, и плотно прижата нога секретарши...

Такая желанная к такой надёжной.

И ты на политическом коне.

Какой тут закат всех, когда дело идёт к рассвету!

Мой дедушка

Что мог вспомнить мой дед?

Всю жизнь работал. Никуда не выезжал. Никаких развлечений. Что он видел? Что он слышал?

Он не мог поехать даже в Москву, не то что в Болгарию. Он протестовал своей жизнью. Он не замечал Советскую власть. Жил в подвале. Торговал старыми газетами на Привозе по десять копеек. Люди брали, заворачивали селёдку, мясо, брынзу, творог. Если он доставал плотную бумагу, клеил пакеты для селёдки, мяса, рыбы.

Мрачный, молчаливый, одинокий. Не принимал помощи от детей. Ничего не хотел иметь общего с Советской властью. Даже детей.

Высокий, седоусый, худой, в чёрном длинном пальто, стоял на выходе из Привоза с пачкой старых газет в левой руке. Ни одного лишнего слова.

Я забегал к нему в подвал — вначале школьник, потом студент, потом механик, потом артист. Он только спросит: «Как у тебя дела?» — и молча клеит пакеты. Мой ответ его не интересовал. Я был советским человеком.

Он завещал мне часы «Победа» с браслетом. Я их не ношу.

Самое мерзкое чувство — благодарности.

Приходится его чувствовать.

Приходится благодарить.

Действительно — тебе подарили, тебе посвятили, для тебя работали и привезли.

И вот ты, получив эту коробку, ходишь дней десять благодарный. Мерзкое состояние... И надо звонить и отмечаться. Даже если там не хотят, но ты-то благодарен. Ты обязан.

Другое дело обида — полная противоположность благодарности.

Святое чувство. Наслаждение. Меня забыли. Не звонили. Не поздравили. Все молчат. Они не спрашивают, где я...

157

Вы что, не видите, что меня нет?

Вы что, не слышите, что я молчу?

Вы не могли хотя бы весточку-звоночек-цидульку-малявочку-письмецо-записку? Мол, так и так. Мол, любим-помним. Я уже не говорю о подарке. Я не скажу, о чём мечтал. Я не желаю видеть эту коробку. Всё! Я обиделся.

Мне сладковато больно.

Я пробую кончиком языка.

Я расшатываю и страдаю.

Я ковыряю пальцем ранку.

Я не даю ей зарасти, срываю корку. А под ней опять... Опять...

Как они могли?

Нет. Как они могли...

Уже одно то, что я это предвидел.

Я знал, с кем имею дело.

Ну и чёрт с ними.

И чёрт со мной.

Плевать.

И вдруг звонок, потом дверной.

Внесли коробку...

Господи... Да это ж то, о чём мечтал.

Ушли...

И я опять стал благодарен.

А было так мучительно приятно.

* * *

И ещё,

Бог каждому при рождении дарит часы... с надписью: «Прими, Миша, и не заглядывай».

Считай по детям, книгам, стрижкам.

Это и будет время.

А цена одной человеческой жизни в том, сколько человек желают ей здоровья...

И главное, Миша, чтоб вы нравились своим детям.

И пусть они знают — хорошо живёшь с тем, с кем хочешь, а не с тем, кого выбрал.

Ретро

Это ретро в Одессе.

Это прошлое!

Это там!

Там — весна долго не сменялась летом.

И красота женщин была другой.

Там наши мамы были молодыми.

Там на фотографиях жмурятся от солнца.

Там на высоком берегу, освещённая жёлтыми фонарями, была асфальтовая танцплощадка.

Там «утомлённое солнце нежно с морем прощалось...».

А далеко внизу, где пахло солью и водой, маленькие волны не могли одолеть крошечный камень.

А от белого платья на чёрном утёсе шла вдаль серебристая лунная дорожка.

Там в двадцать три ноль-ноль был пограничный патруль, и самые смелые шутили, с трудом вылезая на берег: «Скажите, это Союз Советских Социалистических Республик?»

Там причёски были другими и туфли оставляли белые следы, а телефонные переговоры не заменяли писем.

Там мода не была обязательной, как военная форма. И в глубине простой, самодельной одежды ещё был виден человек.

Там были мы с зарождающимися чертами лица и мелкими складками на месте будущих морщин.

Там были мы другими...

Мы сбегали стремительно и взбегали легко.

А от одного прикосновения чьей-то руки долго горело лицо и не открывались глаза.

Там были студенты в шинелях и доценты в боевых орденах.

Там дети играли «парабеллумами» без патронов.

И был праздник, лучше которого мы не знали.

Там было много хорошего и ещё больше такого, чего мы не помним и не хотим помнить.

А со мной оттуда заговорили мать и отец.

Они удивились, услышав себя со сцены.

— Миша, это мама! Как тебе не стыдно! Эта соседка вывела меня из себя. Вычеркни, Миша! Ты понял?! Чтоб я больше этого не слышала! Что ты там придумал? Когда я с тобой говорила о женщинах? Что я тебе там советовала?!

— Сынок, это папа! Я без перерыва сидел в хирургическом кабинете 7-й поликлиники... Без отпуска и выходных. Я ходил по вызовам. Я был популярней тебя на улицах Комсомольской и Богдана Хмельницкого. Я получил орден Трудового Красного Знамени в разгар репрессий.

Настоящий Жванецкий был врачом, и, пожалуйста, не приписывай мне впечатления о твоих похождениях.

У меня была война. Я не ночевал. Я падал от сна и вставал через 3 часа...

Живи и молчи.

Я очень хотел, чтоб ты был другим.

Зачем тебе этот износ? Ты говоришь одно и то же на своих концертах. Я этого не понимаю. Моё время кончилось, но говорить каждый вечер одно и то же, не отдыхать... Уделять столько внимания еде, одежде, не искать нового...

Ты говоришь, что мы были другими... Просто мы искали новое в другом... Оно нам казалось главным... Там главным было другое...

Ты же видел. Ты же всё видел.

Почему меня сутками не было дома? Как по-твоему, что я делал?

Это были мужчины и женщины. Но, чтобы они хотя бы жили, их надо было лечить.

Ничего же не было. Этим я и занимался... Имей я такие препараты, как вы, мы бы с тобой до сих пор были вместе... Может быть, я бы тоже смеялся над твоими шутками... Хотя твои шутки мне не нравятся...

Сколько можно копаться в себе? Это не профессия. Это не профессия... И это не результат...

Мы с мамой лечили других и кормили тебя. Это результат. Это два результата.

Ты никогда такой благодарности, какую слышит врач, не услышишь. Никогда.

У тебя нет профессии. Ты нашёл себя в пустоте.

Развлекать надо здоровых. Больных надо отвлекать. Что ты и делаешь...

А я, Миша, на пляже не был ни разу... И это море ночное, что ты описываешь, и берег, и белое платье на берегу я не видел, сынок...

Ты уже тогда видел больше, чем я.

Сегодня у вас это называется прошлое.

А мы и его не видели.

Попробуй представить, что видели мы.

Это будет посильней всего, что ты написал.

Счастливо тебе, сынок!

Ты уже старше меня...

Слава Богу!

Слава Богу!

Папа о себе

Это его собачье дело

Что с ним?

Почему Бог дал ему такой характер?!

Такую зависимость?!

От людей?!

Их можно назвать толпой.

А можно людьми.

Он зависим!

Он подвержен!

Он склонен!

Он не может!

И вдруг сейчас он всем решил сказать.

Всем собравшимся.

Всем руководящим.

Всем согласным и несогласным.

Решил сказать:

— Дайте-ка я сам!!!

Да. У меня плохой характер.

Да. Пишу я устно.

Произношу печатно и непечатно.

Да. Я хочу, чтоб все часы ходили.

А календарь стоял.

А потом пусть и часы стоят.

А при этом идут.

Он склонен.

Он зависим.

Он подвержен.

Он решить не решается.

Он себе несимпатичен.

Он не этот и не тот.

Ещё не был и уже не стал.

И внутри он не ошибся относительно себя.

И, возможно, относительно других.

Не всех, но многих.

Он не предсказывал.

Он не решался.

Они и развились в то, что он предполагал.

Но что ему с этого?

Кого бы он предупредил?

И кто бы ему поверил?!

Сколько всего.

Когда-то просил.

Потом поручал.

Потом советовался.

И понял:

Нет! Лучше сам!

Провалы классные.

Прекрасные провалы.

Но после них всегда!..

Он не гнул свою линию.

Ибо не умеет гнуть.

И нет своей линии.

Блуждание организма.

Озирался на крик.

Вздрагивал.

И дико выедал себе нутро от слов.

И куда-то вывело.

Чутьё инстинкта.

Смелость страха.

Перо руки.

Даже вьюга вокруг его кобылы.

Кто я такой?

Вначале ты не тот.

Потом вы не тот.

Потом они не те.

Потом вы не там.

Короче, делай что хочешь, кроме всего.

Теперь он сам!

И всё, что делает — его!

Останется.

Уйдёт.

Или выйдет за его судьбу.

Ему решать.

Ну, вот на этом и затихнем.

Это не хвастовство.

Не чванство.

А воспитание людьми.

Теперь он сам.

И говорите что хотите.

Теперь он сам.

Это его собачье дело!

Отец — сыну

◼

Готовься к молодости, Митя.

В двадцать пять лет я тебя последний раз накормлю, и лети добывай.

Не забывай, кого-то ты должен кормить:

Папу, маму, кота Мориса, собаку Дашу и всех-всех, кого ты видишь за этим столом, и особенно тех, кто придёт в гости.

Вперёд, Митя, быстро, но неторопливо.

Мы за тобой.

Кто-то уже не может быстро, не забывай.

Из детей получаются писатели, художники, даже учёные, а вот взрослые получаются из тех, кто попроще.

Давай, учись.

* * *

Конечно, русский язык надо изучать.

По-английски ты заговоришь сам.

Все инструкции на всех приборах, все надписи по-английски.

Хорошо, не знай английского.

Это уж точно твоё дело.

Но, как же ты его включишь, куда воткнёшь, к чему приложишь, что ты проглотишь, на что нажмёшь и куда тебя ударит?

Английский знать ты будешь.

А русский надо изучать, сынок.

Не завидуй англичанам, они не знают других языков.

* * *

Об Америке надо знать:

Нашему таланту в USA очень трудно.

Вот троечник устроится быстро.

Двоечник ещё быстрей.

Талант — очень нет.

* * *

Когда человеку нечего сказать,
Хорошо видна его внешность.

* * *

Митя, в России брехунов не держат даже в толпе алкашей.

Какой смысл в его пьянстве?

Наш алкаш человек искренний, революционный и образованный.

Брехун не может ответить на его вопросы и путается.

Брехуна и в трезвом виде тяжело слушать.

А алкашу у нас надо выговориться, для того он пошёл в алкаши.

Ему слушатель нужен.

А брехун слушать не может физически...

Какой тогда смысл в его жизни?

Он говорит и говорит, говорит и говорит.

Остаётся один, допивает чужой стакан

, жестикулируя, уходит.

Хотя идти ему некуда...

* * *

Между людьми главное — расстояние.

На каком расстоянии у тебя друг, враг.

Близкий, но глупый.

Далёкий, но умный.

Близость измеряется не родственностью,
а расстоянием между людьми.

Кого-то ты держишь на расстоянии вытянутой руки, кого-то — телефонного звонка,
кого-то — электронной почты.

Эти расстояния устанавливаются сразу
и не изменяются,

Но неожиданно пропадают с отъездом
и с приездом тоже.

Свобода — расстояние между людьми.

Тем не менее, народу очень много.

Всё, что было на краю, сейчас посредине.

Была квартира на краю, сейчас посредине.

Была могила на краю, сейчас посредине.

Когда-нибудь мы с сыном войдём в бар и крикнем:

— Нам по двадцать пять! Это не юбилей, это заказ!

* * *

У меня товарищ кем только он не был, но
никем не стал.

Сынок, иди прямо и смотри прямо.

Не занимай места в человеческих оче-
редях.

Не перескакивай сам, и люди обратят
внимание и переведут тебя.

Всем нужен способный человек.

* * *

Ты взрослеешь.

Ты созреваешь.

Готовься к тому, что имя забывается быстрей, чем наслаждение.

Будь внимателен,

Помни имя.

* * *

Сегодня зарабатывать на жизнь дороже жизни.

Деньги по ценности сравнялись со здоровьем.

Ты уже не можешь сохранять здоровье, не зарабатывая на жизнь.

Будь здоров — значит, зарабатывай жизнь!

С годами ты всё больше времени и денег будешь тратить,

Чтоб чувствовать себя хорошо.

* * *

Обогащение руды — это удаление всего лишнего.

Обогащение человека — то же самое.

* * *

Будь экономным в юморе.

Юмор в наше время хлещет, как прорванная канализация или цивилизация.

Юмор и веселье — противоположные понятия.

Веселье не поддерживает.

Поддерживает оптимизм.

Ирония расскажет о тебе больше, чем шутка.

* * *

Не теряй тихую девушку.

Не теряй тихую девушку.

Не теряй тихую девушку.

Когда тебе о ней напомнят...

Тебе будет что вспомнить, но некому позвонить.

* * *

Талант ничего не придумывает.

Эта мысль существует в природе.

Он произносит или записывает её.

Если не он,

Это сделает другой талант.

А потом будут говорить: «Свыше».

Свыше!

Конечно, свыше,

Когда копаешь глубже!

Никто ничего ему не диктовал.

Он просто способен искать не там, где все.

* * *

И последнее.

Если кто-то очень болен, не стесняйся в стороне,

Поговори с ним...

И тебе станет легче.

Только он облегчит душу твою.

У его постели и ты успокоишься.

И этим поможешь ему.

Папа — тебе

Сынок — счастье моё.

Это папа — счастье твоё.

Будь весел, остроумен, знай всё.

Немного терпи, потом защищайся.

Всё равно терпеть удары.

Так хоть наносить удары самому.

Ум я тебе дал.

Силу тренируй сам.

Не стесняйся.

Ты умён, добр и весел.

И никто тебе не страшен.

Никого ни о чём не проси.

Советуйся и делай.

У тебя хорошая интуиция.

Ты отличаешь плохих людей от хороших.

Верь себе.

Будь внимательным и спокойным.

Ты не хуже других.

Читай книги.

Слушай классическую музыку.

Пиши без ошибок.

Учись красиво говорить.

И красиво одеваться.

У тебя всё есть.

Не хватает только мускулов.

Это, кроме тебя, тебе никто не сделает.

Тренируйся и не забывай.

За тобой всегда стою я.

Твой папа.

Спасибо за помощь моему другу Олегу Сташкевичу, моему хранителю Саше Сысоеву и всем, кто вокруг моего одиночества.

М. Жванецкий

Литературно-художественное издание

Жванецкий Михаил Михайлович

**РАЗГОВОР ОТЦА С СЫНОМ
ИМЕЙ СОВЕСТЬ И ДЕЛАЙ, ЧТО ХОЧЕШЬ!**

Ответственный редактор *М. Яновская*
Художественный редактор *А. Стариков*
Технический редактор *О. Лёвкин*
Компьютерная верстка *Л. Панина*
Корректор *Е. Холявченко*

ООО «Издательство «Э»
123308, Москва, ул. Зорге, д. 1. Тел. 8 (495) 411-68-86.
Өндіруші: «Э» АҚБ Баспасы, 123308, Мәскеу, Ресей, Зорге көшесі, 1 үй.
Тел. 8 (495) 411-68-86.
Тауар белгісі: «Э»
Қазақстан Республикасында дистрибьютор және өнім бойынша арыз-талаптарды қабылдаушының
өкілі «РДЦ-Алматы» ЖШС, Алматы қ., Домбровский көш., 3«а», литер Б, офис 1.
Тел.: 8 (727) 251-59-89/90/91/92, факс: 8 (727) 251 58 12 вн. 107.
Өнімнің жарамдылық мерзімі шектелмеген.
Сертификация туралы ақпарат сайтта Өндіруші «Э»

Сведения о подтверждении соответствия издания согласно законодательству РФ
о техническом регулировании можно получить на сайте Издательства «Э»

Өндірген мемлекет: Ресей
Сертификация қарастырылмаған

Подписано в печать 25.11.2016. Формат 70x90^1/$_{32}$.
Гарнитура «QuantAntiqua». Печать офсетная. Усл. печ. л. 7,0.
Тираж 10 000 (7000 Оф. 1 + 3000 Оф. 2) экз. Заказ 9471,9472.

Отпечатано с готовых файлов заказчика
в АО «Первая Образцовая типография»,
филиал «УЛЬЯНОВСКИЙ ДОМ ПЕЧАТИ»
432980, г. Ульяновск, ул. Гончарова, 14